JEAN-PIERRE COLIGNON

JE N'APERÇOIS QU'UN P À APERCEVOIR

96

TRUCS À RETENIR POUR NE PLUS FAIRE DE FAUTES

D1413911

Guy Saint-Jean
ÉDITEUR

Guy Saint-Jean Éditeur
3440, boul. Industriel
Laval (Québec) Canada H7L 4R9
450 663-1777
info@saint-jeanediteur.com
www.saint-jeanediteur.com

. . . .

**Données de catalogage avant publication disponibles à Bibliothèque et
Archives nationales du Québec et à Bibliothèque et Archives Canada**

. . . .

Nous reconnaissons l'aide financière du gouvernement du Canada par
l'entremise du Fonds du livre du Canada (FLC) ainsi que celle de la SODEC
pour nos activités d'édition.

Gouvernement du Québec — Programme de crédit d'impôt
pour l'édition de livres — Gestion SODEC

Titre original : *Je n'aperçois qu'un P à apercevoir... et 100 autres moyens
mnémoniques pour ne plus faire de fautes*
Publié initialement en 2010 par les Éditions de l'Opportun
© Éditions de l'Opportun (Paris, France), 2010, pour l'édition originale
© Guy Saint-Jean Éditeur inc., 2016, pour l'édition en langue française
publiée en Amérique du Nord

Adaptation québécoise : Johanne Tremblay
Correction : Audrey Faille
Conception graphique et mise en page : Rodéo Atelier créatif

Dépôt légal — Bibliothèque et Archives nationales du Québec,
Bibliothèque et Archives Canada, 2016

ISBN : 978-2-89758-112-1
ISBN EPUB : 978-2-89758-113-8
ISBN PDF : 978-2-89758-114-5

Imprimé et relié au Canada
1re impression, avril 2016

Guy Saint-Jean Éditeur est membre de
l'Association nationale des éditeurs de livres (ANEL).

JEAN-PIERRE COLIGNON

JE N'APERÇOIS QU'UN P À APERCEVOIR

96 TRUCS À RETENIR POUR NE PLUS FAIRE DE FAUTES

Table des matières

Préface

Pour maîtriser l'orthographe d'usage, plusieurs démarches sont possibles. Bien évidemment, la première d'entre elles consiste à apprendre consciencieusement, dès l'école primaire, et peu à peu, les orthographes correspondant (pas toujours) aux sons, les récurrences graphiques, les accentuations cohérentes…

Si l'orthographe d'usage est bien plus logique et conséquente que ne le disent des détracteurs excessifs, il est vrai que les consonnes simples ou doubles, les accents, les traits d'union, les mots composés et les adverbes en *-amment* ou en *-emment* suscitent hésitation et perplexité, sauf pour les fous de l'orthographe, les as, les doués, ceux qui, tout jeunes, sont tombés dans la marmite du français, s'y sont baignés avec délices et qui, dès l'enfance, ont « photographié » une fois pour toutes les mots rencontrés dans leurs lectures.

Pour tout le monde, la pratique intensive de la lecture (tous genres de textes confondus, et tous supports compris) permet de retenir non seulement l'orthographe de 3000 à 5000 mots usuels, mais aussi de termes moins familiers.

Au-delà de ces acquisitions normales, la mémorisation à l'aide de trucs et de formules ludiques amuse tout en instruisant! Ainsi, quand l'usager de la langue sera dans l'embarras, une petite ritournelle, une formule astucieuse, lui reviendra à l'esprit et le guidera avec certitude vers la bonne orthographe.

Jean-Pierre Colignon s'est attelé avec conviction à créer et à réunir pour les usagers du français, quels que soient leur âge et leur formation, un grand nombre de formules espiègles, ludiques, faciles à retenir. Depuis longtemps enseignant, formateur et moniteur en journalisme et auprès de correcteurs-réviseurs, il aide ainsi chacun à améliorer son orthographe, sans souffrance, mais dans l'humour.

Bernard Pivot, dont plusieurs Québécois se souviendront, dans l'une des préfaces rédigées pour des ouvrages de l'auteur, a noté : « À la fois instituteur et magicien, Jean-Pierre Colignon nous aide par des trucs, des astuces, des ficelles, des stratagèmes, des tours bien à lui qui nous rendent les mots aimables et divertissants. Dans "la méthode Colignon", j'apprécie, parce qu'elle m'enchante, cette façon élégante et rusée de prendre les mots au sérieux sans adopter la posture du maître. Il préfère – il a raison – la position du jongleur. »

Alliée aux démarches « sérieuses » d'acquisition de l'orthographe – parmi lesquelles une bonne connaissance de l'étymologie est une obligation… et un plaisir –, « la méthode Colignon », avec ses phrases mnémoniques, ses rappels de quelques constantes fondamentales et ses anecdotes malicieuses, est une goûteuse et efficace recette pour faire aimer l'orthographe.

Parmi les fautes d'orthographe les plus couramment commises figurent celles portant sur les accents, en particulier à propos du « chapeau » : l'accent circonflexe.

Cet accent circonflexe remplace très souvent une lettre qui a disparu, notamment un s. Un premier truc utile consiste donc à regarder si, dans une même famille de mots, certains termes ont conservé ce s d'autrefois. Si oui, il y a fort à parier que dans les autres mots, le s supprimé a été remplacé par un accent circonflexe sur la voyelle qui précédait cette consonne…

Le vocabulaire courant comprend *hospice*, *hospitalier*, *hospitalisation*, *hospitaliser*, *hospitalité*, *hospitalo-universitaire*, *hostellerie*… Alors, *hôpital*, *hôte*, *hôtesse* et *hôtellerie* prennent un accent circonflexe sur le o.

01

Le chapeau du *psychiatre* a roulé dans l'*âtre*.

Il faut se faire une raison : la représentation caricaturale des médecins de Molière, avec un immense chapeau noir pointu, ne correspond en rien à l'orthographe des termes terminés en -*iatre* désignant des professionnels de la médecine. Du *psychiatre* au *pédiatre*, au *gériatre*, aucun ne sort coiffé d'un chapeau ! Et cela vaut également pour les suffixes -*iatrie* et -*iatrique* : *gériatrie*, *psychiatrique*, etc.

La formule donnée en titre est donc à retenir absolument : l'accent circonflexe sur le *a* d'*âtre* est dû à la disparition du *s* de la racine latine *astracum*, d'après le grec *ostrakon*, « coquille », puis « morceau de brique ».

12

02

Donnez-moi mon *dû* dans mon chapeau.

Le participe passé de *devoir* n'a d'accent circonflexe qu'au masculin singulier : c'est seulement dans ce cas qu'il est utile de marquer une différence orthographique avec un autre mot de la langue française, le déterminant *du*. Sinon il y aurait homographie, ce qui est généralement fâcheux.

Donc, accent pour *dû*, participe passé (*j'ai dû aller à Québec*), adjectif (*le loyer dû*) ou nom (*régler son dû*). En revanche, on écrit *la somme due, les hommages dus, les catastrophes dues*. Truc mnémonique : le participe passé de *devoir* n'a d'accent circonflexe que lorsqu'il s'écrit en deux lettres.

03

Le *fantôme* ne se découvre jamais devant la muette.

Non, il ne s'agit pas de la muette de Portici, rendue célèbre par l'opéra du même nom, mais de la syllabe muette finale du mot *fantôme*. Certes, la formule la plus ludique, pour garder en mémoire que ce dernier mot a un « chapeau », un accent circonflexe, c'est de se dire qu'« un fantôme n'est jamais nu-tête », que cet esprit farceur et effrayant se dissimule toujours, selon la tradition, sous un suaire blanc.

De plus, un second truc – exprimé par notre titre – met en lumière une quasi-constante du français : devant une syllabe muette, un *a*, un *i*, un *o* portent souvent un « chapeau », alors qu'il n'en est pas de même s'il n'y a pas de syllabe finale muette. On écrit donc:

- *fantôme*, mais *fantomal*, *fantomatique*
- *arôme*, mais *aromate*, *aromatique* *aromatisation*, *aromatiser*
- *cône*, mais *conicité*, *conifère*, *conique*

Pour le mémoriser à tout coup, il suffit de retenir que «le cuisinier met toujours l'accent sur l'arôme» et que «le cône a toujours un sommet pointu, un chapeau pointu».

Il faut éviter de généraliser l'histoire du fantôme qui ne se découvre jamais, car un certain nombre de voyelles précédant une syllabe finale muette n'ont pas d'accent circonflexe (*cotre*, *gnome*, *zone*), ou bien conservent ce «chapeau» même devant des syllabes non muettes (*câblage*, *câble*, *câblé*, *câbleau*, *câblerie*, *câblier*, *câblogramme*, *câblot*, *crâne*, *crânement*, *crânerie*, *crâneur*, *crânien*, etc.).

04

L'accent de *cime* est tombé dans l'*abîme*!

Bien qu'étant au sommet (pointu) d'un arbre ou d'une montagne, le mot *cime* s'écrit sans accent circonflexe. Allez savoir pourquoi! Sans doute, tout simplement, parce que rien n'a jamais justifié la présence de cet accent: *cime* vient du latin *cyma*, «pousse», d'après le grec *kuma*, «qui est gonflé».

En revanche, issu du latin chrétien *abyssus*, déformé en *abismus*, le mot *abîme* comporte un accent circonflexe. Celui-ci est également apparu à la disparition du *s* médian. On le retrouve d'ailleurs dans *abîmé*, *abîmée* et *abîmer*.

Notez que la graphie *abyme*, sans accent sur le *y*, est de loin la plus usitée dans l'expression *mise en abyme*, courante pour décrire l'insertion d'un petit écu à l'intérieur d'un

16

grand (en héraldique), d'un récit à l'intérieur du récit principal, dont il reprend la forme et l'argument (en littérature), d'une peinture dans une autre peinture identique, etc. Le logo d'une célèbre fromagerie, ayant pour emblème une vache hilare, fournit une illustration célèbre de la mise en abyme.

Le jour où l'on met en place la partie la plus élevée d'un édifice que l'on achève est un jour de fête, mais aussi un jour de *faîte*. Ce synonyme de *cime*, de *sommet*, de *pinacle* s'écrit avec un accent circonflexe, et vous avez sans doute deviné pourquoi : un *s* a disparu, qui figurait dans la racine *fest*, *feste* du latin *fastigium*.

L'accent circonflexe figure également dans *faîtage*, *faîteau* et *faîtière*. Pour le mémoriser : on ne grimpe pas sur le faîte sans chapeau, car il y fait frais !

05

Le *pêcheur* se protège du soleil par un chapeau pointu.

L' amateur de pêche se retrouve souvent en plein soleil pendant des heures. Il est donc normal de le voir coiffé d'une casquette, d'un canotier, d'un bob, bref, d'un couvre-chef le prémunissant contre les insolations.

Le pécheur, lui, se cache pour commettre ses écarts et ses fautes plus ou moins critiquables. Nul besoin de chapeau qui attirerait l'attention alors qu'on a décidé de se laisser aller discrètement à quelque… péché capital ou non.

Mais comme chacun d'entre nous est faillible, nous dirons simplement qu'il ne faut pas faire porter le chapeau au pécheur !

18

06

Quelle *pâtée*, ces *appâts*!

Pour attirer des animaux afin de les attraper, on utilise des *appâts*, c'est-à-dire une *pâture*, qui désignait autrefois la nourriture destinée aux animaux. L'appât visait à allécher et faire venir les proies potentielles vers un piège ou un hameçon, ou bien directement sur ou dans un piège. *Appâts* vient d'*appâter*, issu d'*appaster*, «nourrir, engraisser» (particulièrement les oiseaux). Une fois de plus, l'accent circonflexe correspond à la disparition d'un *s*, et il figure donc dans *pâte*, *pâtée*, *pâteux* et *pâteuse*.

Ce qu'on appelle l'amorce, à la pêche à la ligne, est une pâtée lancée à la volée et censée se décomposer dès le contact de l'eau, afin de se répandre sur une grande surface pour capter l'attention d'un maximum de poissons. *Pâtée/appâts*: l'accent circonflexe du second de ces termes est parfaitement justifié!

07

On ôte son chapeau pour *déjeuner*, mais on le garde pour observer le *jeûne*.

Il n'y a pas d'accent circonflexe dans *déjeuner*, *petit(-)déjeuner*, ni dans *être à jeun*. En revanche, quand *eu* est suivi d'une consonne et d'un e muet, le « chapeau » est présent : un *jeûne* de huit jours.

20

08

Le teint *jaunâtre* de ce *bellâtre* tire sur l'*olivâtre* !

Le suffixe -*âtre*, ajouté pour former des noms (*bellâtre*) ou des adjectifs (*douceâtre*, *rougeâtre*, *verdâtre*, etc.), comporte un accent circonflexe reflétant la disparition d'un *s* (*astrum*, devenu -*astre*, puis -*âtre*).

21

09

On *dîne* en habit, avec un chapeau, pour manger des *huîtres*.

Le *dîner* rassemblera peut-être la sœur aînée et le frère *puîné* dans un *gîte* de la *presqu'île*. Dans tous ces mots, comme dans *huître*, le *i* est surmonté d'un accent circonflexe représentant le plus souvent la disparition d'un *s* (*puis né*, *uistre*, etc.).

Autres mots comportant un *î* à l'intérieur des termes : *abîme*, *dîme*, *épître*.

10

Le bon *apôtre* a toujours un accent très *enjôleur*!

L' accent circonflexe sur le *o* des mots *enjôleur* et *apôtre* revient dans d'autres mots quand ledit *o* précède une syllabe muette finale, nous l'avons vu avec *fantôme* (mais pas *fantomatique*), *arôme* (mais pas *aromate*), *cône* (mais pas *conique*). Même constat avec *geôle*, qui est de la même famille qu'*enjôleur* en dépit des graphies divergentes en *g* et en *j*.

Hôtesse, *icône* (mais pas *iconographie*), *monôme*, *pôle* (mais pas *polaire*), *pylône*, *rôle*, *symptôme* (mais pas *symptomatique*), *tôle*, entre autres, confirment cette récurrence très fréquente.

11

À son *âge*, il met encore la main à la *pâte* dans de nombreuses *tâches*!

Il arrive souvent que l'accent circonflexe serve à distinguer des termes qui, sinon, seraient totalement homographes et homophones. À un *âge* avancé, le sujet dont il est question ici vient en aide (il met donc la main à *la pâte*, et non à *la patte* du chien) à des parents ou à des collègues, et cela pour des travaux (des *tâches*) divers. Non pour faire des taches sur la moquette!

24

12

Les organisateurs de la *fête champêtre* ont mis l'accent sur le *baptême* des *crêpes* !

L' accent circonflexe est mis, en effet, sur le e de *fête*, de *champêtre*, de *baptême* et de *crêpe*, précédant une syllabe finale muette. Et l'on retrouve cela dans *arête*, *bêche*, *bête*, *carême*, *chêne*, *conquête*, *enquête*, *extrême*, *fenêtre*, *frêle*, *grêle*, *guêpe*, *hêtre*, *honnête*, *pêche*, *rêve*, *revêche*, *salpêtre*, *trêve*... entre autres !

13

Il a le verbe haut, avec son accent ! Il veut toujours *paraître* !

Les verbes dont l'infinitif se termine en *aitre* ou en *oitre* ont un accent circonflexe sur le *i* du radical. C'est aussi le cas des formes conjuguées lorsque le *i* du radical précède un *t*: *naître, paraître, apparaître, disparaître, connaître*: *il naît, il disparaîtra, elle apparaît, il connaît*; même chose pour *accroître, croître* et *décroître*; *ils accroîtront, elle croîtra, le soleil décroît*.

Sinon, dans tous les autres cas, il n'y a pas cet accent circonflexe : *elle naquit, ils disparaissent, tu connais, ils croissent…*

Par ailleurs, il y a un accent circonflexe sur le *i* et sur le *e* des formes conjuguées de *croître* car ces formes, sinon, pourraient être homographes de celles de *croire*. On évite

Sortir avec ou sans chapeau ?

ainsi les confusions. *Cet arbre croît rapidement ; les eaux de la rivière crûrent en une matinée ; avec la reprise économique, le PIB a crû plus que l'an dernier ; elle croit toujours au père Noël ; ils crurent à une explosion ; ses parents ont cru ses mensonges.*

Pour la même raison – se distinguer d'homonymes potentiellement homographes –, le participe passé de *croître* et de *recroître*, comme celui de *devoir*, prend un accent circonflexe au masculin singulier : *crû* et *recrû*. De cette façon, on ne les confond pas avec *cru*, participe passé de *croire*, ou avec l'adjectif *recru*, qui signifie « fatigué ».

14

Nous *passâmes* d'excellentes vacances bien qu'il *fît* souvent un temps pluvieux !

Inutile de se creuser la tête pour rien ! Inutile de se demander si l'on a affaire à un verbe du deuxième ou du troisième groupe. TOUS LES VERBES prennent un accent circonflexe :

- aux première et deuxième personnes du pluriel du passé simple (*nous chantâmes, vous pleurâtes, nous vînmes, vous fûtes, nous connûmes, vous fîtes*).

- à la troisième personne du singulier de l'imparfait du subjonctif (*qu'il aimât, qu'elle finît, qu'il sût*).

15

Vous *vîntes* à la chasse avec la *châsse* ? C'est exceptionnel !

Il est exceptionnel, en effet, de trouver, en français, un accent circonflexe devant deux consonnes, comme dans certaines formes conjuguées (*nous vînmes, vous tîntes...*) ou dans les mots *châsse* (coffre), *châssis, enchâssement, enchâsser.*

L' accent aigu ne se place, en français, que sur la voyelle e (pour *é*), et lui confère ce que l'on appelle un son «fermé». L'accent grave, en français, se met sur les voyelles *a*, *e* et *u* (pour l'adverbe *où*); placé sur un e, il confère à cette lettre un son «ouvert».

Le son fermé peut être exprimé aussi par *ed* (*pied*), *er* (*chanter*), *et* (*et*), *ez* (*nez*) et parfois *œ* (*œnologue*). Il en va de même avec la terminaison *-ai* du passé simple (*je fermai les yeux*) et du futur simple (*je viendrai*).

Le son ouvert est exprimé également par plusieurs graphies dont *ai* (*délai*), *ais* (*relais*), *ait* (*lait*), *es* (*essence*), etc., sans oublier les désinences verbales *-ais*, *-ait* et *-aient*.

Si les deux accents ne se confondent pas, en revanche les mots *grave* et *aigu* peuvent être synonymes: une grave crise équivaut à une crise aiguë!

16

C'est définitif : au futur et au conditionnel, on garde l'accent de l'infinitif.

Les formes conjuguées du futur et du conditionnel qui contiennent l'infinitif d'un verbe conservent l'accentuation (é) de cet infinitif. Pour *céder*: *il cédera, elles céderont*; pour *accélérer*: *tu accéléreras, vous accélérerez*.

17

Aucun accent ne précède le x.

Aucun accent ne doit précéder un *x*: celui-ci équivaut à deux consonnes (*gz*, comme dans *exactitude*, ou *ks*, comme dans *convexe*). Alors, du *sexe* au *latex*, pas d'accent aigu ou grave!

18

Même à titre d'*essai*, jamais d'accent devant une consonne double.

Essai en fait la démonstration : on ne met pas d'accent sur le *e* précédant une consonne double. Pas besoin d'*erratum*, donc, si l'on a écrit *ecchymose*, *tendresse*, *mademoiselle*, *belladone*, *effacer*, etc.

19

Jamais d'accent aigu sur le nez du boucher!

On ne met jamais d'accent aigu quand un e précède une consonne qui ne se prononce pas en fin de syllabe : *nez, boucher, pied, clef,* etc.

35

20

Le é est toujours premier, sauf devant les muettes, devant une consonne double, et devant l'*ermite* et l'*espadon* de l'*ethnologue*!

On met toujours un accent aigu sur le e qui constitue l'initiale d'un mot: *épine, éperlan, épingle, étranger, épithète, élever, étalon, écrevisse, état, éradiquer, Étienne, écriture, évanoui*, SAUF devant une syllabe muette finale (ère), devant les consonnes doubles (*effet, essai, erreur, ellébore*), devant un r ou un s précédant eux-mêmes une ou plusieurs consonnes: *ermite, ergonomie, ersatz, espadon, Espagne, escrime* (trois consonnes derrière le e), *espérance*. Le e n'est pas accentué non plus devant des blocs de trois consonnes dont la première n'est ni un r ni un s: *ethnologue*, par exemple.

36

21

Le é clôture le *marché*, et termine la *soirée*.

En «neutralisant» les e muets ainsi que le s du pluriel, c'est toujours un é (accent aigu) que l'on trouve en fin de mot, avec un son fermé : *pitié, liberté(s), égalité, acheté(s), pâtée, cuillerée, péché, pré(s), amitié, acné, rosacée, Pygmée, idée(s).*

22

Les *excès* du *progrès*, c'est grave!

C' est toujours un accent grave que l'on trouve en avant-dernière position devant le s final (autre qu'un s du pluriel) d'un certain nombre de mots dont la terminaison se prononce à son ouvert *-ais*: *abcès, congrès, cyprès, décès, excès, exprès* (adverbe), *grès, près, procès, progrès, succès, très*, où le s est muet. On fait de même pour les mots dont on prononce le s final: *aloès, cacatoès, exprès* (adjectif), *florès, herpès, palmarès, pataquès, xérès*, etc.

Le scénario se répète pour la préposition *ès* qui, obtenue par la contraction de *en* et de *les*, ne peut évidemment précéder qu'un mot au pluriel: *docteur ès sciences, agir ès qualités, licencié ès lettres, un spécialiste ès estampes japonaises*, d'où la formule mnémonique: *ès* n'aime que les mots en *s*.

Consonne simple, consonnes doubles? Que d'hésitations, que de doutes à ce sujet! Et même à très mauvais escient, si l'on en juge par le nombre d'erreurs commises dans le nom *illettrisme*. C'est pourtant un terme où il ne devrait y avoir aucune bévue : deux *t* figurent dans *lettre*, et il est normal que le préfixe *in-* se mue en *il-* devant un vocable commençant par un *l* (comme *innombrable* : *in-* + *nombrable*).

23

Je m'*aperçois* qu'il n'y a qu'un *p* à *apercevoir*.

Nous aurions pu dire: «J'aperçois un Apache!» Saviez-vous qu'autrefois, le nom commun *apache* signifiait «voyou, truand, malfaiteur»? Comme le nom commun est issu du nom propre, on peut juger de l'opinion qu'avaient les gens au début du XXe siècle sur les Amérindiens. Un seul *p* à *Apache*: un seul *p* à *apercevoir*…

Si l'on aime le miel, la gelée royale et le pollen, on peut préférer mémoriser le *p* solitaire d'*apercevoir* par: «J'aperçois un apiculteur!» La série *apicole* (adj.), *apiculteur* (n.), *apiculture* (n. f.) s'écrit en effet avec un *p* (du latin *apis*, «abeille»).

À l'image d'*apercevoir*, quelques mots commencent par le digramme (groupe de deux

42

lettres) *ap-* : *apaiser, apitoyer, aplanir, aplatir, apostropher, apurer*.

Plusieurs formulettes sont possibles afin de retenir l'orthographe, à savoir le *p* unique :

- ✏ « L'apiculteur tentait d'apitoyer l'apache. »
- ✏ « L'Apache apostrophait l'apiculteur. »
- ✏ « L'apiculteur doit apurer ses comptes ! »
- ✏ « L'apiculteur voulait apaiser les Apaches, en les apitoyant. »
- ✏ « Les Apaches s'apostrophaient violemment, menaçant d'aplatir leurs ennemis ! »

24

L'*addition* n'est pas *adéquate*, ou c'est Dédé qui règle l'addition !

Le montant de l'*addition* ne convient pas aux convives, et on n'arrive pas à établir quelle est la part due par chacun. En tout cas, déjà, *addition* n'est pas *adéquation* : le premier terme s'écrit avec deux *d* contre un seul au second vocable. *Addition* n'a guère qu'*addenda*, *addiction* et *adduction* (et les mots de même famille) comme *compagnons de route* : tous les autres mots commençant par *ad* n'ont qu'un seul *d* (*adage, adagio, adaptation, adhésif, adepte, adjectif, adjoint, adjuger, admettre, adolescence*, etc.).

On peut préférer retenir que c'est « Dédé » (DD) qui paiera l'addition !

25

Agglutiner des populations au sein d'*agglomérations* démesurées *aggrave* les déséquilibres au sein de notre pays!

Peu de mots commencent par le trigramme *agg*: la quasi-totalité des termes comprenant le phonème *ag(g)* n'ont qu'un *g*: *agacer*, *agrafe*, *agrégé*, *agriculture*, *agripper*, *aguerrir*, etc.

Le *g* ne devient double que dans *aggiornamento*, terme italien désignant, notamment en parlant de l'Église, une adaptation à l'évolution du monde contemporain et dans tous les mots de la famille d'*agglomérer*, d'*agglutiner* et d'*aggraver*.

26

Des bébés uniquement chez l'*abbé*, l'*abbesse*, le *rabbin*... et chez les *gibbons*!

La consonne *b* est rarement doublée, en français, que ce soit en préfixe ou bien à l'intérieur des mots. Le digramme *bb*, en effet, ne se voit que dans *abbaye*, *abbé*, *abbesse*, *abbatial(e)*, *gibbon*, *rabbin*, *rabbinat*, *rabbinique*, *rabbinisme*, et les termes issus du latin *gibbosus*, de *gibbus*, «bosse»: *gibbeux(-se)*, *gibbosité*, auxquels on ajoutera l'hormone végétale *gibbérelline*, dénomination venue de l'anglais, d'après le latin scientifique *gibberella*, «champignon ascomycète».

27

Hier, j'ai vu le *joaillier*, le *marguillier* et le *quincaillier*... mais pas l'*écailler*!

Phonétiquement, *hier* peut être découpé en *i-e-r*. Ce sont ces trois lettres que l'on trouve à la fin de *joaillier*, de *marguillier* et de *quincaillier*, dont on a tendance à oublier le second *i*.

En revanche, *écailler*, nom du commerçant qui ouvre et vend des huîtres, qui vend des fruits de mer, ne comporte pas ce *i* derrière les deux *l*.

Au sens moderne, *marguillier* désigne la personne chargée de la garde et de l'entretien d'une église.

28

Aiguillier, boutillier, coquillier, groseillier, joaillier, marguillier, médaillier, millier, quincaillier et vanillier.

I-l-l-i-e-r, six lettres qui constituent la terminaison de quelques mots dont il convient de connaître l'orthographe.

Nous avons vu par ailleurs, déjà, *joaillier*, *marguillier* et *quincaillier*.

À ne pas confondre avec le verbe *aiguiller*, « diriger, orienter », le substantif *aiguillier* désigne soit une personne qui fabrique des aiguilles, soit un porte-aiguilles. *Boutillier*, quoique rare, est plus usité que les variantes *bouteiller* (sans *i* après les deux *l* – graphie retenue au Québec), ou *bouteillier*, relevée chez Victor Hugo. Le *boutillier* était un grand officier royal chargé de l'intendance du vin : *le boutillier de la cave à vins*. Avec lui, on connaît l'échanson! Le *coquillier* est une collection de coquillages, de coquilles, ou le meuble, le local contenant cette collection; le mot est aussi adjectif: *l'industrie coquillière, du calcaire coquillier*... Le *coquillier* est aussi un dragueur: un bateau de pêche utilisé pour draguer la coquille Saint-Jacques.

Un *médaillier*... n'est pas un médaillé, titulaire d'une ou de plusieurs médailles, mais un meuble ou une petite armoire destinés à accueillir une collection de médailles. Le mot désigne aussi la collection elle-même. Enfin, le *vanillier* est la liane dont le fruit est la vanille.

Tentons une formule mnémonique globale:

«Dans une cité paisible, le marguillier et le joaillier cultivent des groseilliers, tandis que le quincaillier fabricant de médailliers s'occupe d'un vanillier. Sur l'Atlantique, à bord d'un coquillier, un aiguillier propriétaire d'un millier de bonnes bouteilles se prend pour un boutillier royal.»

29

Éléonore est *déshonorée*: elle a raté son dessert.

Une vieille chanson vantait le «caractère en or» d'une prénommée Éléonore. Ici, c'est surtout l'élément *onor* qui nous intéresse, car il permet de mémoriser que, lorsque les mots de même famille que le mot *honneur* sont forgés sur le radical latin *honor-*, ils ne prennent qu'un *n*: *déshonorer*, *honorable*, *honorer*, *honorifique*.

Au contraire, ceux bâtis sur le radical populaire *honn-* comportent deux *n*: *déshonneur*, *honnête*, *honnêteté*, *honneur*.

30

Rationalisme n'a qu'un *n*, na!

Dans la famille de *ration*, le *n* ne double pas devant un *a*: on a toujours *na*, jamais *nna*: *rationaliser*, *rationalisme*, *rationalité*.

Devant une autre voyelle, le *n* est doublé: *rationnel(le)*, *rationnellement*...

31

Il est âgé, pépé!

Il est âgé, le papy, alors il s'*agrippe* aux meubles pour se déplacer… Il est « â-gé » (un *g*), « pé-pé » (deux *p*) : *agripper* comporte un *g* et deux *p* !

32

Elle est carrée, cette rosse!

Les mots *carrée* (avec ses deux *r*) et *rosse* rappellent que *carrosse*, comme tous les mots de la famille de *charrette*, s'écrit avec deux *r*. Seul *chariot*, avec son *r* solitaire, fait exception. On peut retenir cette dernière ainsi: « L'aristo, avec son air (*r*) distingué, conduit un *chariot*. » (Un seul *r* à *aristo*, qui a un air distingué.)

33

On se *nourrit* deux fois chaque jour.

En principe, on prend tous les jours deux repas principaux : le dîner et le souper (on écartera le déjeuner, quand bien même serait-il copieux ; de même, l'éventuel brunch, et la collation de l'après-midi).

Puisque l'on se nourrit copieusement deux fois par jour, il est normal d'écrire avec deux *r* le verbe *nourrir*.

34

On ne meurt qu'une fois !

C' est ce que pensent les gens sensés, en tout cas, bien que des chefs de pupitre s'obstinent à écrire des titres comme : « Cinquième mort d'un automobiliste sur la route 158 ». Pareils titres laissent entendre que, quatre fois ressuscité, un conducteur vient de trépasser à nouveau. La formulation rigoureuse étant : « Mort d'un cinquième automobiliste sur la route… » ou « Cinquième victime sur la route 158 ».

Contrairement à ce que laisse parfois croire le cinéma, on ne meurt qu'une fois, et il est donc logique qu'il n'y ait qu'un *r* à *mourir* !

35

As-tu *rappelé* pépé chez lui?

Cette fois, les deux *p* de *pépé* nous rappellent que *rappeler* s'écrit avec deux *p*! Il faut l'appeler «chez lui»: il n'y a qu'un *l* à *lui*, donc qu'un *l* à *rappeler*, *rappelé*, *rappela*, *rappelait*. En revanche, il faut deux *l* à *rappelle*, *rappelles*, *rappellent* (je rappelle, tu rappelles, elle rappelle, ils rappellent). Modifions alors quelque peu la formule mnémonique: «Rappelle ta pulpeuse amie chez elle!»

56

36

La bonne est une vraie *bonbonne*!

D ans les films tournés avant les années 1950, les personnages de bonnes et de concierges étaient souvent confiés à des comédiennes au physique plantureux (ou, au contraire, à des actrices malingres).

Bonne a deux *n*: même chose pour *bonbonne*, nom désignant une bouteille généralement bien renflée. Avec *bonbon* et *bonbonnière*, *bonbonne* est le seul mot de la langue où l'on trouve un *n* – et non un *m* – devant un *b*. (Des dictionnaires donnent, en seconde orthographe, «bombonne», mais cette variante n'est pas adoptée par l'usage.)

37

Vêtu de *tulle* et sans *scrupule.*

La quasi-totalité des mots se terminant sur le son -*ul* s'écrivent en -*ule* (*scrupule, crépuscule, fascicule, vestibule, pellicule, opercule, émule, mule, somnambule, pécule, funambule...*). Seules exceptions : *bulle, tulle* et *nulle* (adj. et n. f.).

Quelques termes masculins en -*ul* : *calcul, consul, cumul, recul.*

38

On fait le plein d'air, en *Méditerranée* !

S'il n'y avait pas le détroit de Gibraltar, qui la fait communiquer avec l'Atlantique, et le canal de Suez, qui la relie à la mer Rouge, la *Méditerranée* serait une mer complètement fermée. Le fait qu'elle soit entourée de terre, d'où son nom, doit permettre de retenir que son nom comporte deux *r*, et non un seul.

39

La *demoiselle* aux *belles
dentelles* adore la *marelle*
et les *mirabelles*! Mais elle
n'est pas un *modèle*
pour le *zèle* auprès
de la *fidèle clientèle*.

Une grande majorité de noms féminins à
la terminaison en *el* s'écrivent en *-elle*:
*aquarelle, bretelle, cannelle, citronnelle,
chanterelle, coccinelle,* etc.

Seuls quelques mots féminins ont pour
terminaison *-èle*: *clientèle, fidèle, infidèle,
une parallèle.* De même, quelques noms
masculins: *modèle, zèle,* etc.

60

40

Il faut absolument deux *chandelles* pour ce *chandelier*.

Deux chandelles, c'est-à-dire deux *l* pour un chandelier, soit un *l*. Par ailleurs, la prononciation donne aussi la réponse : è*l* = deux *l* tandis que *e* = un *l*.

Le même raisonnement s'applique pour *échelle* et *échelon*, *ficelle* et *ficeler*, *j'épelle* et *épeler*, ou *j'appelle* et *appeler*.

41

L'*ivoire* n'est pas *noir*, et le *suppositoire* non plus!

Tous les adjectifs qualificatifs se terminant par le son *war* s'écrivent -*oire*, tels *dérisoire*, *illusoire*, *méritoire*, *obligatoire*, *provisoire*, etc., sauf *noir* au masculin.

42

Elle est très âgée, cette fée!

Quoiqu'âgée, elle mène son monde à la baguette, ladite fée… S'agit-il de la fâcheuse Carabosse? Rien ne le prouve, rien ne le dit. En revanche, il y a certitude sur le nombre de *g* et de *f* dans *agrafage*, *agrafe* et *agrafer*: aucune de ces lettres n'est doublée (*âgée* = un *g*; *fée* = un *f*).

À l'image d'*agrafe*, la quasi-totalité des mots commençant par le son *ag* s'écrivent avec un *g*: *agacement*, *agacer*, *agonie*, *agrandir*, *agriculture*, *agression*, etc.

Avec deux *g*, on ne trouve que les mots de la famille d'*agglomérer*, d'*agglutiner* et d'*aggraver*.

43

Atterrir, revenir sur terre

Si «la maîtresse décolle», il en va de même pour un aviateur ou pour un pilote d'avion. Naturellement, à un moment ou à un autre, il faudra… *atterrir*, revenir sur *terre*. Ce dernier mot commençant par un *t*, le préfixe sera alors *at-*, tandis que la parenté avec *terre* impose et justifie les deux *t*.

44

Il a un air *harassé*.

Un peu de *harissa* le requinquerait-il, lui redonnerait-il la pêche de la jeunesse afin qu'il ne ressorte pas de cette période d'abattement comme un… vieillard en sort?

Il a «un air» harassé, autrement dit: un *r*, comme tous les mots commençant par *har*: *haras*, *harassé*, *haret*, *haricot*, *haridelle*…

45

J'imagine que cet *imitateur* ne s'appelle pas Emmanuel, mais Manuel.

Tous les mots commençant par le son *im* prennent deux *m*: *immaculé, immatriculation, immédiat, immense, immeuble, immigrer, immobile, immobilier, immortalité, immunité,* sauf les mots de même famille qu'*imaginer* et *imiter*: *image, imaginaire, imagination, imitateur, imitation,* etc. L'*imitateur* a donc un prénom ne comportant qu'un *m*.

46

Sur leurs deux jambes, les artistes du *ballet* interprètent la danse du *balai*.

Les danseurs du *ballet* expriment tout leur art sur leurs deux jambes, ce qui peut justifier les deux *l* du mot *ballet*, alors que, le *balai* n'ayant qu'un manche, son nom s'écrit avec un seul *l*.

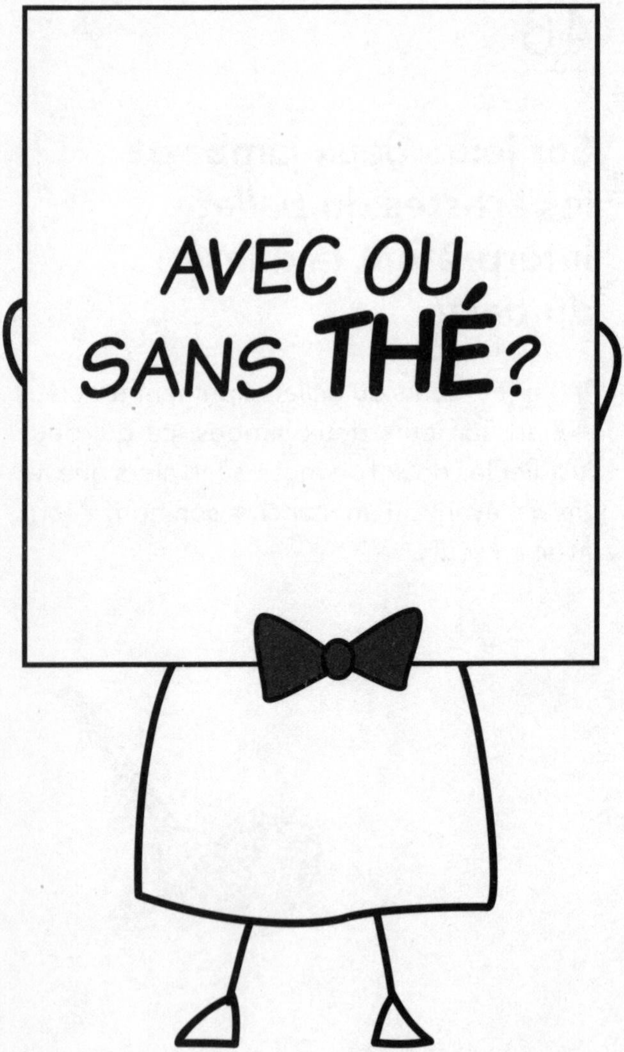
AVEC OU SANS THÉ?

Graphie et prononciation divergent assez souvent, parce que des sons différents peuvent être représentés par les mêmes lettres. D'où des hésitations sur l'orthographe. Entre autres avec le *t*, qui se prononce *t* dans *partie*, mais *ss* dans *partiel*. Alors, dans certains mots, on prendra le « thé » *t*, dans d'autres, on s'en abstiendra !

47

Thérèse est *insatiable* de thé !

Parmi les mots du langage courant se terminant sur le son *ciable*, seul *insatiable* s'écrit avec un *t*. Tous les autres ont une terminaison en -*ciable* (*sociable*, *justiciable*, etc.).

48

Cette *antienne* ne doit pas être récitée à l'*ancienne*.

Du grec *antiphônos*, « qui répond », le nom féminin *antienne* désigne un verset chanté avant et après un psaume. On l'utilise aussi pour désigner de façon péjorative une répétition fort lassante.

Antienne ne se prononce pas comme *ancienne*, mais comme « anti-haine » ou l'inventé *antyenne*, plus exactement.

71

49

Quel impair, ici! Encore l'*impéritie* des dirigeants!

*I*mpéritie, du latin *imperitia*, de *peritus*, «expérimenté», est un mot féminin désignant l'incompétence, le manque de capacités de certaines personnes, notamment d'élus, de politiciens.

L'étymologie le montre: en dépit de la prononciation *issi*, c'est un *t* qu'il faut, et non un *c* ou deux *s*.

72

50

Le responsable de la *connexion* est Monsieur X!

L'expression anglaise *french connection* ne doit pas vous induire en erreur: le mot français *connexion* s'écrit avec un *x*, pas avec un *t*. Comme *connexe* et *connexité*!

73

51

Superstitieux, il est cependant athée!

Oui, il est «à *t*», et non «à *c*», ni «à *ss*», le *superstitieux*, et ce, en dépit de la prononciation en *ss*. C'est la même chose pour les *prétentieux*: «Ce prétentieux est très superstitieux!» On retrouve donc, avec la prononciation en *ss*, la terminaison en -*tion* de *superstition* et de *prétention*. En revanche, c'est le *c* de *sentence* qui est maintenu dans *sentencieux* et *sentencieusement*.

52

Les adjectifs qualificatifs se terminant sur le son *anciel* sont plus *athées* que proches du *ciel*.

Généralement, quoiqu'apparentés à un substantif en -*ence*, les adjectifs qualificatifs terminés par le son *anciel* s'écrivent avec un *t*... ou sont athées («à *t*»): *confidentiel (confidence), démentiel (démence), essentiel (essence), présidentiel (présidence), providentiel (providence)*, etc.

Pour résoudre une affaire policière, pour démêler une intrigue compliquée, pour trouver l'origine d'un conflit ou d'un différend, «cherchez la femme» comme le veut une expression française.

Un peu de la même façon, lorsque l'on hésite sur la terminaison d'un mot masculin, il peut être utile de savoir quel est son féminin et comment se construit le féminin en français.

En règle générale, le féminin des noms et des adjectifs se forme à l'écrit par l'ajout d'un *e* à la forme masculine. Cet ajout ne se fait pas toujours entendre à l'oral, comme en témoignent les mots *aérée*, *bénie*, *apprentie*, *connue*, *royale*, *subtile* et de nombreux autres. En revanche, quand elle est audible, la terminaison féminine se révèle très utile pour déterminer comment s'écrit le masculin : on retranche mentalement le *e* final, et le tour est joué !

En entendant le mot *commerçante*, on peut se dire que le masculin est *commerçant*, avec un *t* final. *Mauvaise, petite, grise, fine, verte, calmante, pleine, réduite* conduisent logiquement aux masculins *mauvais, petit, gris, fin, vert, calmant, plein* et *réduit*. Il faudra toutefois se méfier de quelques cas particuliers, dont *favori* qui, au féminin, devient *favorite*.

53

Ce vieillard *décrépit* est tout dépité !

Il n'a pas perdu son crépi, tel un mur, ce malheureux ancien, mais il est en état de *décrépitude*, de grande sénescence... *Décrépitude* indiquait la lettre finale de *décrépit*, tout comme le féminin *décrépite*.

Il ne faut pas confondre une façade *décrépie* (qui a perdu son crépi) avec une vieillarde *décrépite* ! Le français évoluant sans cesse, des dictionnaires acceptent aujourd'hui de qualifier de *décrépite* une chose : une maison, une façade, un mur délabrés, ayant entre autres perdu leur crépi ! En revanche, il est toujours incorrect de dire d'une personne qu'elle est « décrépie » sauf, peut-être, avec humour sarcastique, s'il s'agit de quelqu'un d'outrageusement fardé et dont le « revêtement » a disparu !

54

Charlotte *cogne* sur son frère avec un *coing* bien dur !

Faut-il écrire « de la confiture de coing » ou bien « de la confiture de coings » ? Les débats homériques autour de l'accord du substantif complément des mots *confiture*, *gelée* et *compote* n'ont pas fini de mettre de l'animation notamment dans les bureaux des correcteurs professionnels ! Des grammairiens aguerris avouaient y perdre leur latin, tel le regretté Maurice Grevisse, qui reconnaissait qu'« il est souvent difficile de décider si le nom complément déterminatif [...] doit être au singulier ou au pluriel. »

La norme, bien qu'elle reste controversée, est donc la suivante : on met le complément au pluriel lorsqu'on estime que l'on reconnaît encore la forme des fruits. Ce serait le cas pour les confitures ; on choisit donc d'écrire :

de la confiture de bleuets, des confitures de cerises, de la confiture de fraises. En revanche, dans les gelées on ne distingue plus rien : on est face à une masse informe, indénombrable, d'où la graphie *gelée de raisin*, par exemple.

Mais revenons au titre de ce chapitre : l'orthographe de *coing* n'est sans doute pas évidente pour tout le monde. Un truc utile, quand on hésite sur un mot pouvant comporter une lettre qui ne se prononce pas, consiste à rechercher un ou des mots de la même famille. Comment s'appelle donc l'arbre qui fournit le coing ? Eh bien, c'est le *cognassier*, et le *g* final du nom du fruit s'explique par le *g* figurant dans le nom de l'arbre… et dans *cogner* !

55

Le *pouls* de l'époux plein de poux dépend de ses *pulsions*.

Certes, le cœur humain a ses pulsions, et le pouls traduit la fréquence des battements, des *pulsations*, éventuellement déterminés par des *pulsions*.

L'orthographe de *pouls*, avec son *s* final, s'explique par sa parenté avec *pulsation*. Le digramme *ls* ne se prononce pas, il reste muet.

56

Ce compte-rendu est trop *succinct* pour être *sensé*!

En tout cas, le mot *succinct*, lui, n'est pas… « sans *c* » : cette lettre y figure trois fois puisqu'il y a devant le *t* un *c* muet que l'on oublie souvent à l'écrit. Il ne se prononce pas non plus, en principe, dans l'adverbe *succinctement*, qui du coup n'est pas d'une grande aide (toutefois, l'usage oscille). Son étymologie explique la raison de sa présence : le mot vient du latin *succinctus*, qui signifiait « court-vêtu » !

57

Le *suspect* est *sensé*, mais la *suspecte* n'est pas *sensée*, elle !

La terminaison de *suspect* peut susciter l'hésitation : y a-t-il, ou non, un *c* muet devant le *t* final ? La prononciation du féminin, *suspecte* (*susspekte*) fournit la réponse.

Le suspect est bien « sans *c* » (qui ne se prononce pas), tandis que la suspecte « n'est pas sans *c* » (puisqu'on l'entend).

85

58

Instinctivement, je mets *respectueusement* un *c* à *instinct* et à *respect* !

Toujours cette perplexité avec l'éventua-
lité d'un *c* devant un *t* final, dans *instinct*
et dans *respect*. Le recours à d'autres mots de
leurs familles permet de faire ressortir cette
« lettre de plus » que, pourtant, l'on n'entend
pas. *Instinctivement* et *instinctif*, d'une part,
et *respectueux, respecter, respectabilité*, etc.,
d'autre part, donnent la réponse.

59

À mes *remerciements* et à mes *paiements*, j'ai ajouté des *œufs*!

Cette formulette permettra peut-être de mémoriser que tous les noms forgés sur des verbes se terminant en *-ayer*, *-ier*, *-ouer*, *-oyer* et *-uer* et ayant un suffixe en *-ment* ont un *e* médian entre la racine et ce suffixe. On voit donc des *e* (des « œufs ») au milieu de ces substantifs...

- ✏ payer : paiement
- ✏ renier : reniement
- ✏ s'engouer : engouement
- ✏ aboyer : aboiement
- ✏ dénuer (se) : dénuement

Une seule exception : *châtiment* (de *châtier*, pourtant).

DU CÔTÉ
DES **NOMS
PROPRES**

Les noms propres, cela va de soi, posent aussi des difficultés aux usagers de la langue française. Même lorsqu'il s'agit de termes bien français, les hésitations sont nombreuses. Aucun d'entre nous ne peut prétendre tout connaître.

Dans le domaine de l'orthographe, des trucs peuvent cependant, encore, donner un bon coup de main!

60

Le *Libyen* n'a pas d'*alibi* en *Syrie* !

Il n'y a pas de pays dont le nom s'écrive
« Libi » ou « Libie », ni « Lybie » (où le *y* et
le *i* seraient dans l'ordre inverse de l'alphabet). Le *i* est avant le *y*, et le nom du pays
s'écrit : « Libye ».

Dans le milieu de la presse, notamment chez
les correcteurs-réviseurs, on a pris l'habitude
de mémoriser cela en prononçant le *y* à l'anglaise (*ail*, comme *why*). Tripoli est ainsi la
capitale de la « Libaille », alors que *Syrie* se
prononce normalement : *siri*.

61

« *Ah!* », fit-elle en voyant la *Saône*.

Depuis peu reine de France, Marie-Antoinette visitait Lyon. On montra entre autres à la jeune souveraine un beau cours d'eau, en lui disant : « C'est la Saône ! », en prononçant *Çaune*, naturellement. « Mais, s'étonna-t-elle, à Paris on prononce *Saine*. » Sans doute eut-elle droit, alors, à un respectueux cours de géographie. Marie-Antoinette était bien pardonnable pour cette bévue…

En tout cas, le *a* de *Saône* est muet (alors que celui de *Caen* ne l'est pas). La formule historico-mnémonique peut permettre de se souvenir de sa présence et sera très pratique aux Québécois qui visitent la France !

62

Aimez-vous le *cacao* de *Curaçao*?

Nom commun (liqueur faite avec de l'eau-de-vie, des écorces d'orange et du sucre), *curaçao* se prononce *curasso*, comme l'île antillaise du même nom. Le second *a* ne se fait pas entendre. Le rapprochement avec *cacao* permet de mémoriser quelles sont les trois dernières lettres!...

63

Franz *Liszt* respectait l'alphabet!

En français, le nom du compositeur hongrois Franz *Liszt* équivaut à « François Farine ». L'hésitation est fréquente quant à l'ordre du *s* et du *z*. Pour ne plus avoir de doute, c'est pourtant bien simple : il suffit de mémoriser le fait que ces deux lettres se présentent dans l'ordre alphabétique : *s* puis *z*.

De la même façon, le *h* et le *l* respectent l'ordre de l'alphabet dans le patronyme du botaniste suédois *Dahl*, « parrain » du *dahlia*, dont le nom donne des maux de tête à bien des usagers de la langue. Cela nous permettra aussi de bien écrire le nom de l'auteur britannique bien connu des enfants, Roald *Dahl*.

64

Bertolt Brecht était *athée*.

Autre «B. B.» célèbre, n'en déplaise à Brigitte Bardot: l'auteur dramatique allemand Bertolt Brecht (1898-1956). Une erreur récurrente consiste à le prénommer «Bertold», voire «Berthold», alors que la bonne version est *Bertolt*, avec un *t* final. Brecht était bien «athée» («à *t*»), et non «à *d*».

65

Le *Sphinx* a quitté le *pays grec* !

Monstre mythique de l'Égypte pharao-
nique, le Sphinx à corps de lion et à
tête humaine a été sculpté près des sanc-
tuaires funéraires dont il était le gardien.
Nom commun, *sphinx* est néanmoins souvent
écrit avec une majuscule dans les ouvrages
traitant de l'Égypte ancienne ou de l'Antiquité
grecque. Dans la légende d'Œdipe, ce terme
est généralement considéré comme un nom
propre par des auteurs. Les tenants de la
minuscule, qu'approuvent des dictionnaires
de référence, sont cependant nombreux. Peu
importe, après tout : il est plus important de
savoir écrire le mot *sphinx*.

Si le Sphinx a quitté « le pays grec », cela
signifie qu'il n'y a pas dans ce vocable « *p*
et *y* », mais un *p* et un *i* ! Tout comme son

féminin *sphinge*, parfois employé à la place du masculin, *Sphinx/sphinx* ne comporte pas de *y*.

Rappelons la fameuse énigme posée par le Sphinx à Œdipe, aux portes de Thèbes, ville que le monstre terrifie. La redoutable créature soumet en effet une énigme à tous les voyageurs et dévore tous ceux qui ne fournissent pas la bonne réponse à sa question «Qui est-ce qui marche à quatre pattes le matin, à deux le midi et à trois le soir?»

Finaud, Œdipe donne la réponse: c'est l'homme, qui, enfant, se déplace à quatre pattes, puis qui, adulte, passe à la station debout, sur ses deux pieds, pour, au soir de la vie, se déplacer avec une canne. Mortifié, le Sphinx se jette du haut de son rocher (ou du haut des remparts de Thèbes, selon une autre version), et se tue.

POUR QUELQUES TRUCS **DE** PLUS...

66

J'ai lu ce *magazine* de A à Z.

Magasin, *magazine*, il y a de quoi s'y perdre, parfois. Dites-vous, alors, que vous lisez attentivement tout magazine de A à Z, ce qui souligne que c'est un *z*, et non un *s*, qui figure dans ce terme venu de l'anglais et issu lui-même du français, de *magasin*. C'est également un *z*, et des *a*, que l'on a dans *mazagran*, nom d'un verre à pied, en porcelaine épaisse généralement, utilisé pour boire le café. À une autre époque, le mot a désigné le café lui-même, servi dans un verre.

Quant au *s* de *magasin*, il peut se mémoriser par le pluriel de *grands magasins* : « Sophie adore faire ses courses dans les grands magasins. » ou, plus simplement, par l'initiale du prénom : « Sophie tient un magasin. »

67

Les *satellites volent* autour de la *Terre*.

Ils tournent, ils gravitent, sur une orbite, plutôt, mais, bon, disons que c'est une image poétique! Pour voler, comme les oiseaux, il faut deux ailes… soit deux *l*. Il n'y a qu'un *t* à *Terre*, donc idem pour *satellite*! Plus d'hésitation sur le nombre de *l* et de *t* dans ce mot.

100

68

Ce travail *fatigant* ne me fait pas sourire.

Il n'est pas toujours simple d'écrire correctement les adjectifs verbaux et les participes présents. Parfois ils ont la même orthographe (*un patron exigeant*; *C'est en exigeant trop qu'il s'est fâché avec ses amis.*); dans d'autres cas, l'orthographe est distincte (*un travail fatigant*; *C'est en fatiguant le jeune berger allemand par de longues promenades qu'il est parvenu à le dresser.*).

Un travail harassant, fatigant, ne fait pas sourire. C'est pourquoi il n'y a pas, dans *fatigant*, un *u* qui peut rappeler la forme d'un sourire!

Tous les participes présents sont toujours invariables et se terminent par *-ant*: *il se déplaçait en zigzaguant*; *il s'est enrichi en façonnant*

des porte-clés; en naviguant trop près de cette île, vous risquez de vous échouer, etc.

Les adjectifs verbaux sont variables, et peuvent se terminer en *-ant* ou en *-ent* (*le personnel navigant; des opinions divergentes; les pays émergents; des propos extravagants*, etc.).

Pour les distinguer, on s'y retrouve en appliquant ce qui suit:

1. Les participes présents peuvent être remplacés par un gérondif (préposition *en* + participe présent) ou par une proposition conjonctive. Par exemple:

🖊 «Suffoquant de colère, il partit aussitôt.» peut être remplacé par «En suffoquant de colère, il partit aussitôt.»

🖊 «Provoquant alors un court-circuit, il réduisit au silence la télévision et la radio.» peut être remplacé par «C'est parce qu'il provoqua un court-circuit qu'il...»

2. Les adjectifs verbaux (et les noms) peuvent être remplacés par une proposition relative (avec *qui*) :

✎ « Le personnel navigant s'est mis en grève. » peut être remplacé par « Le personnel qui navigue s'est mis en grève. »

✎ « Les fabricants de jeux de société. » peut être remplacé par « Ceux qui fabriquent des jeux de société. »

L'adjectif verbal peut toujours être remplacé par un adjectif (*un argument convaincant : un argument persuasif*) ; ce n'est pas possible avec un participe présent. Si le participe présent de *fabriquer* s'écrit avec *qu* (*qu'en fabriquant...*), le nom, lui, s'écrit avec un *c*. Formules mnémoniques, attirant l'attention sur le *c* : « Un fabricant doit atteindre le plus gros chiffre d'affaires possible. » ; « C'est un fabricant habitant CANadien. »

69

Pas besoin d'*étayer* exagérément ce *soutien* pour l'*entretien* du toit.

Elle soutient, à raison, que la mondialisation n'est pas très profitable aux agriculteurs locaux. Il entretient sa relation amoureuse à coups de cadeaux et d'attentions. Certes, dans la conjugaison de *soutenir* et d'*entretenir* on trouve des terminaisons en -*tient*, mais les substantifs *soutien* et *entretien* n'ont pas besoin d'un *t* final pour renforcer leur signification.

70

En *s'appuyant* bien sur ses *deux pieds*, on a plus de force !

Bien campé sur ses pieds, que ce soit pour faire du yoga ou pour exercer une poussée, on a effectivement bien plus de force ! Deux pieds qui doivent alors permettre de mémoriser les deux *p* d'*appuyer*.

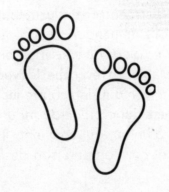

71

Ces *pieds-de-mouton* sont un *trait d'union* entre végétariens.

La logique, le raisonnement, le bon sens : voilà qui peut faire partie des trucs, en quelque sorte ! Si l'on se trouve embarrassé au moment d'écrire, dans le menu prévu pour l'assemblée annuelle de l'Association nationale des végétariens et végétaliens, *pieds de mouton*, il faut réfléchir, tel Maigret ou Hercule Poirot. Comment des partisans convaincus d'un régime alimentaire excluant toute viande pourraient-ils demander ou accepter qu'on leur serve les *pieds de vrais moutons* ? C'est invraisemblable. En revanche, les végétariens et végétaliens n'ont rien contre les champignons : c'est donc *pieds-de-mouton*, avec des traits d'union, qui convient. Il y a une métaphore, par comparaison de forme ; il

106

n'est pas question de vrais pieds ni de vrais moutons, d'où les traits d'union !

C'est que lorsqu'il y a une métaphore, la plupart du temps les noms composés ainsi forgés prennent des traits d'union. Par exemple, sot-l'y-laisse, trompette-de-la-mort, va-t-en-guerre, à la va-comme-je-te-pousse, etc.

72

J'en ai FRÉMI de Peur!

Cette formule concerne l'accord de ce que l'on appelle les «adjectifs de couleur», même si dans cette catégorie on fait entrer des noms employés par ellipse. Le présent ouvrage n'étant pas du tout conçu pour tenir lieu de grammaire, nous n'allons pas expliquer de A à Z les accords en genre et en nombre de cette catégorie de mots. En revanche, expliquons la formule qui intitule ce truc:

Les vrais adjectifs simples de couleur s'accordent comme des adjectifs qualificatifs: *une tenture verte*, *des robes bleues*, *des cheveux noirs*, etc. En revanche, les noms employés comme adjectifs de couleur restent invariables, à l'exception de quelques-uns d'entre eux, consacrés par l'usage comme véritables adjectifs de couleur. Sont donc invariables lorsqu'on les utilise au sens de couleur plus de deux cents substantifs tels qu'*orange, cerise, marron, citron, carotte, kaki, noisette*, etc., parce que l'on considère qu'il s'agit toujours là d'une construction elliptique. Dans *des chemises orange, des nappes cerise, des pantalons marron, des chemisiers citron, des cheveux carotte, des uniformes kaki, des yeux noisette*, il y a un raccourci pour signifier : « des chemises qui sont d'une couleur comparable à celle de l'orange », « des nappes qui ont la couleur de la cerise », « des pantalons qui rappellent le marron », etc.

Six substantifs font exceptions et s'accordent comme s'ils étaient des adjectifs : *fauve, rose, écarlate, mauve, incarnat* et *pourpre*. On écrit donc : *des tapis fauves, des vases roses, des caracos écarlates, des napperons mauves,*

des roses incarnates, des tentures pourpres.
À l'aide des initiales de ces six mots, on peut obtenir la fameuse formule mnémonique : FRÉMI (de) P(eur).

73

Partisan des *Capétiens*, ce *Lilliputien* – tiens! – est cousin d'un *Anticostien*!

Les gentilés forgés sur des noms comportant un *t* s'écrivent eux aussi avec cette lettre, sauf rares exceptions:

- *Anticostien* sur l'Île d'Anticosti
- *Capétien* sur Capet (Hugues)
- *Lilliputien* sur Lilliput (voir *Les Voyages de Gulliver*, de Jonathan Swift)
- *Haïtien* sur Haïti
- *Vénitien* sur Vénétie
- *Égyptien* sur Égypte
- *Tahitien* sur Tahiti

Donc, vous risquez peu de vous tromper en estimant que les habitants de l'antique *Béotie* devaient être des *Béotiens*, ceux de *Corinthe* des *Corinthiens*, et que les habitants de la *Carinthie* seraient des *Carinthiens*!

Mais *Mars*, sans *t*, a cependant fourni de petits hommes verts appelés *Martiens*!

Pour quelques trucs de plus...

74

C'est à *Laval*, sur la rivière des Mille-Îles, que j'ai appris à manœuvrer un *kayak*!

Mot d'origine inuktitut, la langue que parlent les Inuits, *kayak* est quelque peu… singulier : c'est un palindrome. Cela signifie qu'en lisant le terme de droite à gauche, on décode le même mot. Un certain nombre de termes – noms communs ou noms propres – ont cette particularité : *ana*, *elle*, *Ève*, *Laval*, *radar*, *ressasser*, *rotor*, *selles*, *Sées*, etc.

On ne confondra pas les palindromes avec les anacycles : ceux-ci, lus de droite à gauche, donnent un mot qui existe, mais qui est différent de celui lu de gauche à droite : *Noël/Léon*, *stop/pots*, *snob/bons*, *édicule/élucidé*, *rengager/regagner*, *Sarah/haras*, etc.

75

Le *hibou* Félix, n'aimant pas que le *pou* fasse *joujou* avec le *bijou* trouvé dans un *chou*, lui a jeté un *caillou* sur le *genou*!

Cette phrase relatant un petit fait de la vie animale énumère « la bande des sept » : les sept mots terminés en -*ou* au singulier et qui, au lieu d'avoir un pluriel en -*s*, comme clous ou trous, ont la particularité de prendre un -*x*.

Mais la langue évolue et s'enrichit, si bien que l'on pourrait peut-être parler d'une « bande des huit » en ajoutant le mot ripou. Le cinéma a popularisé le terme *ripou*, qui est, en verlan, l'adaptation de *pourri*; le *ripou* est un policier corrompu. Le pluriel régulier sur *pourri*, est donc *ripous*. Cependant, trois films populaires ont rendu très familière la graphie *ripoux*, qui a fini par s'installer.

76

Les *audacieux* iront aux cieux! Et les *avaricieux* aussi!

Que les *audacieux* aillent aux cieux pour y jouir d'une heureuse retraite, pourquoi pas? Ce serait la récompense de l'esprit d'initiative, d'un tempérament de «battant», et tant pis pour les timorés! Mais que les avaricieux, ces grippe-sou, ces séraphins, ces rats les y rejoignent, il n'y a pas de justice!

Pourtant, ils sont classés dans la même catégorie, ces noms et adjectifs forgés sur des mots se terminant en *-ce* (et, très rarement, en *-ci*), car leur terminaison commune est: *-cieux*.

Ainsi en va-t-il des mots astucieux (*astuce*), audacieux (*audace*), avaricieux (*avarice*), consciencieux (*conscience*), délicieux (*délice*), disgracieux (*disgrâce*), spacieux (*espace*), licencieux (*licence*), malicieux (*malice*), officieux (*office*), révérencieux (*révérence*), sentencieux (sentence), silencieux (silence), soucieux (souci), vicieux (vice), etc.

La terminaison est *-tieux* si le mot-base comporte un *t*: ambitieux (ambition), facétieux (facétie), factieux (faction), infectieux (infection), minutieux (minutie).

77

Ce *câble* mérite une *explication*!

« **C**ela s'écrit-il avec un *c* ou bien avec *qu*? », se demande-t-on souvent devant des termes finissant par « *kable* » et liés à un verbe finissant par *-quer*. Un truc fiable consiste à chercher la présence, dans la famille du mot, d'un substantif en *-tion*. Si oui, le terme s'écrit *-cable*. Si la réponse est négative, le mot se terminera par *-quable*.

Exemples:

- ✎ *expliquer, explication, explicable*
- ✎ *appliquer, application, applicable*
- ✎ *communiquer, communication, communicable*
- ✎ *évoquer, évocation, évocable*

- ✏ *convoquer, convocation, convocable*
- ✏ *disséquer, dissection, dissécable*

Dans la famille de *critiquer*, il n'y a pas de « critication », donc : *critiquable*.

78

En son *for intérieur*, François Ier songeait à la revanche...

Pavie (Italie du Nord, 24 février 1525). La bataille engagée contre les Impériaux est à l'avantage des Français quand François Ier a la malencontreuse idée de charger avec sa cavalerie sans tenir compte de son artillerie, qui faisait alors des ravages dans les rangs ennemis. Les canonniers français étant empêchés de tirer, l'affaire tourne au complet désastre. Pertes humaines considérables, un grand nombre de capitaines tués, et le roi fait prisonnier...

En captivité à Madrid, François Ier devra y signer un traité cédant la Bourgogne à Charles Quint. Le vaincu écrira à sa mère, Louise de Savoie, qu'il avait instituée régente, un propos que l'on résume généralement par « Tout est perdu, fors l'honneur. » Issu du latin *foris*,

« dehors », *fors* signifie « excepté, en dehors, hormis, sauf ».

L'homonyme qui entraîne les hésitations est *for*, uniquement usité dans la locution *for intérieur*, et signifiant « dans ma conscience », « au fond de moi-même ». Le truc consiste à retenir que *for* se termine comme *intérieur*, sur un *r*.

79

Nuitamment, patients et constants, ils creusent *patiemment* et *constamment* le tunnel qui les conduira aux coffres de la banque.

Les adverbes se prononçant *aman* s'écrivent avec deux *m*: *patiemment, constamment, savamment, élégamment,* etc. Pour savoir si l'adverbe s'orthographie avec un *a* ou avec un *e*, il faut regarder l'orthographe de l'adjectif correspondant. Si l'adjectif s'écrit avec un *a*, il en va de même pour l'adverbe:

- abondant, abondamment
- brillant, brillamment
- puissant, puissamment
- indépendant, indépendamment
- arrogant, arrogamment

Si l'adjectif comporte un *e*, alors l'adverbe s'écrit lui aussi avec un *e* :

- différent, différemment
- apparent, apparemment
- évident, évidemment
- éminent, éminemment
- pertinent, pertinemment
- concurrent, concurremment

Notamment, *nuitamment*, *précipitamment* et *sciemment* n'ont plus, de nos jours, d'adjectif correspondant. Pour *notamment*, il faut alors penser à *notAtion* ; pour *précipitamment*, à *précipitAtion* ; pour *sciemment*, à *sciEnce*, à *consciEnce*, à *bon esciEnt*, à *consciEmment* (de *conscient*).

Quant à *nuitamment*, il faut penser à *tard*: «Il fait nuit tArd, c'est pourquoi l'on s'attarde et rentre nuitAmment!»

Obligeant a donné l'adverbe *obligeamment*. *Lent*, *présent* et *véhément* ont certes fourni des adverbes avec un *e*, mais il n'y a pas doublement du *m*: *lentement*, *présentement*, *véhémentement*.

80

Agathe tente de couper avec sa *hache* les *agates* de sa rivale !

Si le prénom *Agathe* s'écrit avec un *h* (devenu, dans la formulette, «une hache»), ce n'est pas le cas du substantif *agate*, nom d'une variété de pierres semi-précieuses.

Attention à l'orthographe des homonymes, ces mots qui se prononcent de la même façon, mais dont l'orthographe (à part le cas des termes homographes) est distincte ! À un *h* près, tout comme pour *Agathe/agate*, il faut se méfier, notamment, des confusions entre *étique* (adj., «très maigre, décharné») et *éthique* (n. f., «morale, règle de conduite»).

81

Le *volatile* reste près de ses *œufs*.

Le substantif *volatile* désigne un oiseau (en particulier une volaille de basse-cour). Il s'écrit avec un e final. On peut alors retenir qu'il reste près de ses «e»!

En revanche, et l'erreur est fréquente, l'adjectif homonyme s'écrit sans e au masculin: *un parfum très volatil, un produit volatil.*

Les hésitations sur des mots masculins se terminant en *-l* ou en *-le*, en *-al* ou en *-ale* sont courantes. Il faut dire que l'on relève des singularités. Ainsi, la quasi-totalité des mots masculins se terminant sur le son *al* s'écrivent en *-al*, sauf *ovale*, *pâle* et *sale*. C'est surtout le premier des trois qui entraîne des erreurs. Phrase mnémonique: «Tous les adjectifs masculins en *al* sont à chevAL, sauf ovale, pâle et sale, qui restent au fond de la cALE!»

82

Des *landaus* aux *pneus bleus* poussés par des nounous en *sarraus*.

L es mots en *-au*, en *-eau* et en *-eu* font leur pluriel avec un *x*, très généralement : *des bateaux*, *des châteaux*, *des feux*, *des pieux*, etc. Il y a toutefois des exceptions qu'il faut mémoriser : *landau*, une voiture d'enfant, fait au pluriel *landaus*, avec un *s*.

Pneu (abréviation de *pneumatique*) aussi : *des pneus*. Quelle que soit son acception, quelle que soit sa nature grammaticale, *bleu* a un pluriel en *s* : *des bleus de travail*, *des bleus* (des nouveaux), *des bleus résultant d'une chute*, *des uniformes bleus*, etc.

Tablier d'enfant ou ample blouse de travail, le *sarrau* a également un pluriel en *s*.

126

N'oublions pas un grand coureur australien, l'*émeu*, qui ne sait sans doute pas qu'en français son nom s'écrit avec un *s* au pluriel : des *émeus*.

83

La *brebis*, la *fourmi*, la *perdrix* et la *souris* sont privées d'œufs, de bougie et de sortie !

La plupart des noms féminins se terminant sur le son *i* s'écrivent en *-ie*. Il y a toutefois quelques exceptions, en particulier des noms d'animaux : *brebis*, *fourmi*, *perdrix* et *souris*. Ces dernières sont donc privées d'œufs (d'e… final, en tout cas).

Il n'y a pas de masculin au mot *souris*, on ne dit pas « un souris » (ce qui introduirait une ambiguïté, *souris* étant un synonyme vieilli de « sourire »). On dit, alors, « une souris mâle » : ainsi, Mickey est une souris mâle !

84

Avec *orgueil*, le président se réjouissait du bon *accueil* que lui réservait la foule.

Après les consonnes *c* et *g*, c'est le *u* qui vient en premier, puisque la prononciation donne *keuille* et *gueuille* (et non *seuille* et *jeuille*). Derrière d'autres lettres, le *e* vient avant le *u*: *feuille, fauteuil, portefeuille, chèvrefeuille, millefeuille, cerfeuil, deuil*, etc.

Outre *orgueil* et *accueil*, la forme *ue* s'applique aussi à *cercueil, recueil, écueil*.

Dans les mots féminins, la terminaison est toujours en *-euille*: *feuille*.

85

Les yeux *exorbités*, les Gaulois déchaînés *exhaussèrent* leur chef porteur de *hache* sur un pavois!

Ainsi mis à l'honneur, ce chef voyait certainement ses vœux secrets exaucés. Ce n'était pas rien, évidemment, qu'être ainsi reconnu, honoré, promené devant les troupes juché sur un pavois, c'est-à-dire un grand bouclier. Par Toutatis!

Cela était même réservé à celui que les farouches Celtes venaient de choisir pour roi.

Mais pourquoi n'y a-t-il pas de *h* dans *exorbités*, alors qu'*exhaussèrent* (du verbe *exhausser*, qui signifie «augmenter en hauteur») en prend un? Très souvent, par ailleurs, *exorbitant* est écrit «exhorbitant».

130

Le truc, ici, consiste à chercher des mots de la même famille. Dans le premier cas, c'est *orbite*. Qu'il s'agisse de la petite cavité osseuse qui accueille l'œil, ou bien de la courbe décrite par un corps céleste autour d'un autre, plus grand. Des satellites ont, ainsi, été mis sur orbite terrestre par les scientifiques de plusieurs pays.

Orbite n'ayant pas de *h* initial, et le préfixe *ex-* n'en comportant pas en finale, il n'y a aucune raison de vouloir écrire « exhorbitant » ni « exhorbité ».

Homonyme d'*exaucer*, *exhausser*, lui, doit absolument s'écrire avec un *h* puisqu'il est de la même famille que *hausser*.

86

La période *glaciaire* plaisait bien aux ours *polaires*!

L'ours blanc aime bien le froid, les grands froids, à condition qu'il lui reste de la bonne nourriture à «se mettre dans le cornet» (… à glace). Il «aime être au pôle».

Malheureusement, ce n'est pas le cas, et les plantigrades s'aventurent jusque dans les villages, fouillant les poubelles et effrayant les habitants. Au lieu des poubelles, les ours préféreraient peut-être ouvrir des *glacières* remplies de bonnes choses.

Période glaciaire/des glacières: voici qui nous donne une clé pour l'orthographe des mots se terminant sur le son *sierre*: les adjectifs s'écrivent -*ciaire* (sauf quand il y a dans la même famille de mots un nom en -*cière*) et les substantifs, –*cière*. Vérifions si cette récurrence est exacte (à de rares exceptions près):

Si adjectifs:

- *bénéficiaire* (également nom: *un bénéficiaire*)
- *fiduciaire* (également nom: *une fiduciaire*)
- glaciaire
- judiciaire

Si substantifs:

- une épicière
- une financière
- une gibecière
- une glacière
- une mercière
- *une nourricière* (également adjectif)
- *une policière* (également adjectif)
- une romancière
- une saucière
- une sorcière
- une souricière
- une tenancière

Assez convaincant, n'est-ce pas?

133

87

Les *cous-de-pied* des joueurs gardaient la trace des *coups de pied* reçus lors du match contre l'équipe adverse.

Le soccer n'est pas fait pour les petites natures. Lors de certaines rencontres, le tacle se porte très haut, et les joueurs qui en sont victimes gardent plusieurs jours les traces des *coups de pied*. Une bévue usuelle consiste à mettre *pieds* au pluriel, un pluriel qui n'est guère logique : essayez donc de frapper des deux pieds à la fois ! Vous serez à terre, faute d'appui, avant d'avoir pu dire quoi que ce soit.

Quant à *cous-de-pied*, qui désigne la partie supérieure du pied, ce pluriel respecte la règle d'orthographe des mots composés formés

134

sur le type nom + de + nom : le premier mot prend la marque du pluriel, le second demeure invariable. Ainsi on écrira :

– une gueule-de-loup et des gueules-de-loup ;

– un œil-de-perdrix et des œils-de-perdrix ;

– une langue-de-chat et des langues-de-chat ;

– etc.

Les traits d'union indiquent qu'il y a eu métaphore. Il ne s'agit pas de vraies gueules de vrais loups, de vrais yeux de vraies perdrix, et ainsi de suite.

88

Nous avons séjourné sans *aucuns* frais chez des Cajuns francophones, en Louisiane.

Erreur très fréquente : la mise au singulier d'*aucun* dans la locution *aucuns frais*. Pourtant, le pluriel est une évidence : au sens de « dépenses », le mot *frais* est EXCLUSIVEMENT un pluriel. Personne ne dit : « J'ai eu un gros frais pendant les vacances. », mais : « J'ai eu de gros frais... ».

Pronom indéfini, *aucuns* doit s'accorder, et être au pluriel. Idem avec d'autres termes figés au pluriel : *aucunes funérailles officielles ne sont prévues ; aucunes rillettes au menu !*

C'est également la logique (un « truc » très fiable !) qui fige au pluriel le pronom indéfini *d'aucuns*, puisqu'il signifie « quelques-uns, plusieurs, certains » : « Chez les *Huns*, *d'aucuns* n'aimaient pas du tout le steak tartare ! »

89

Nous espérons bien faire bonne *chère* chez cette *chère* marquise!

Même si le festin attendu est à base de charcuterie, de viandes blanches et rouges, on ne fera pas «bonne chair»! Certes, les fameux ogres des contes se régalaient de chair fraîche, sanguinolente même, mais c'était pour faire *bonne chère*! D'autres peuvent très bien faire eux aussi bonne *chère* en associant quantité et qualité. Quant à ceux et celles qui sont au régime strict, quand bien même trouveraient-ils plaisir à déguster quelques légumes et fruits rares, l'expression «faire bonne chère» ne pourrait leur être associée. Car ce *chère*-là vient du grec *kara*, «visage»: l'hôte fait bon accueil à ses invités, et dans la qualité de l'accueil entrent aussi en compte la qualité et l'abondance des mets servis à table.

137

Au lieu de croquer des enfants, les ogres n'avaient qu'à s'approvisionner chez le charcutier le plus proche, un professionnel dont le nom vient de «chair cuite»...

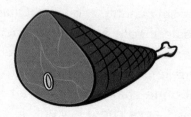

90

On ne peut jamais *compter* sur Céline pour nous apprendre des *comptines*!

« **A**m stram gram, pic et pic et colégram, bour et bour et ratatam… », ce n'est pas un petit conte qui s'amorce ainsi, mais une comptine! Il s'agit d'une ritournelle enfantine destinée à désigner – en comptant sur les syllabes et en les attribuant à tour de rôle aux joueurs – celui ou celle qui tiendra le dé, qui dirigera l'action ou qui devra relever une épreuve.

En évitant les méprises sur la signification des mots et expressions, on diminue grandement le risque de commettre des bévues orthographiques…

91

En soufflant dans leur *olifant* en or du tout dernier *cri*, les derniers Francs appelaient des renforts *à cor et à cri*.

Cette expression du domaine de la vénerie (art de la chasse à courre) désigne la chasse ou le moment de la chasse où l'on poursuit la bête en jouant du cor et en criant.

Pour mémoriser l'orthographe et le singulier, il faut penser au preux Roland, qui, commandant l'arrière-garde de l'armée des Francs revenant d'Espagne, se fit surprendre, en 778, par les Vascons (les Basques) alors qu'il allait franchir le col d'Ibañeta – connu sous le nom de «col de Roncevaux», en France.

Si l'on en croit la légende, ce n'est qu'à la toute dernière extrémité, le désastre consommé, que Roland aurait sonné du cor pour alerter Charlemagne et le gros des troupes, en s'étant refusé jusque-là à appeler au secours...

92

Le premier *Romain* s'est classé *dixième* au marathon de Lutèce.

Est-ce sous l'influence de l'orthographe de *douzième* qu'un certain nombre d'usagers du français écrivent « dizième » à la place de *dixième* ? Pourtant, la terminaison respective des deux mots conduit à garder le *z* pour le premier, et le *x* pour le second...

De plus, dans *dixième* on retrouve la lettre qui, en majuscule (X), représente le chiffre romain correspondant à 10 !

Employé ici comme gentilé, *Romain* s'écrit naturellement avec une majuscule. En tant qu'adjectif, le mot perd cette majuscule : *les armées romaines, les camps romains...*

Il n'y a jamais de majuscules aux gentilés quand ils désignent autre chose qu'une personne : une firme, une société (*le japonais Hitachi, l'allemand Siemens, la québécoise Bombardier*).

93

Abrégeons là-dessus, en disant « *etc.* ».

L'expression latine *et cetera* peut aussi s'écrire *et cætera*. On la connaît surtout sous sa forme abrégée : *etc.*, qui doit se terminer sur un point abréviatif, puisque le c n'est pas la dernière lettre de la locution.

Et cetera – et, donc, *etc.* – signifiant « et la suite » (au sens de « et *toute* la suite »), il est inutile, et fautif de cumuler l'expression ou son abréviation avec des points de suspension. Jamais de « Et cetera… » ni de « etc… »

Compte tenu du sens de la locution, qu'on l'utilise abrégée ou non, il ressort qu'il est superflu de la doubler ou de la tripler. Toutefois, la langue française ne doit pas être traitée comme une matière figée. Si la répétition d'*etc.* est effectivement inutile dans un texte courant, il faut avoir l'intelligence d'accepter le « doublon » dans des répliques théâtrales, dans des dialogues de films, dans des sketchs plaisants, etc. Dans ces circonstances, la répétition évoque la faconde, le bagou d'un personnage, ou sert à caricaturer, voire à stigmatiser le verbiage insipide d'un « radoteur » ou d'un politique.

94

Sortie de son *ghetto* professionnel, la *ghesha*, au *Grand Hôtel*, se fit servir un plat de *spaghettis*!

Le digramme (groupe de deux lettres) *gh* se rencontre principalement dans un groupe de mots étrangers francisés et lexicalisés. *Ghetto* et *spaghetti* viennent de l'italien, *ghesha* (ou *geisha*, graphie préférée par le *Petit Larousse*, entre autres), du japonais.

Tous ces mots intégrés au vocabulaire usuel n'ont plus à être traités en exceptions gardant leurs particularités... ce qui complique la tâche des usagers de la langue, des enseignants comme des apprenants. Moins il y a d'exceptions, plus une langue est facile à écrire et à parler. Donc, exit l'exotisme! Exit les préciosités que voudraient maintenir des puristes. On écrira donc très correctement *des*

scénarios (et non «des scenari»), *un confetti* (et non «un confetto»), *des spaghettis* (et non «des spaghetti»), etc.

On raconte qu'au cours d'une soirée mondaine, le maréchal Foch, membre de l'Académie française, exaspéré par des discussions byzantines à propos de latinismes ou de termes étrangers, se leva en déclarant: «Je vais faire pipo sur les cacti!»

95

Ma grand-mère est *Vierge*, mon frère est une *Balance*, et moi-même suis un *Lion*.

Mélanger noms propres et noms communs peut conduire à des écrits fâcheux, gênants, ou incompréhensibles. Bien indiquer les majuscules et les minuscules fait partie de la maîtrise de l'orthographe d'usage.

Ici, les noms des signes du zodiaque prennent la majuscule, parce que ce sont des noms propres de constellations. Le mot *zodiaque* lui-même est un nom commun, et ne prend donc pas la majuscule.

On imagine bien les réactions stupéfaites ou amusées qui accueilleraient l'utilisation du mot *vierge* sans majuscule ; les regards soupçonneux ou interrogateurs à la vue de *balance* sans majuscule ; enfin, les sourires railleurs à l'intention du prétentieux ayant écrit *lion* sans majuscule.

Les noms des signes sont invariables : *mes deux sœurs sont* [des] *Sagittaire* ; *mon père est* [un] *Gémeaux* (ellipse pour dire : *du signe des Gémeaux* ; il est illicite d'écrire, au singulier : « mon père est [un] Gémeau »).

Vous avez bien suivi ? C'est bon signe !

96

Les *vivats* des soldats et les *Viva Villa!* saluaient le révolutionnaire mexicain.

L'interjection « *Viva!* » se termine sur un *a*, comme le nom du fameux révolutionnaire mexicain Pancho Villa.

Le nom masculin *vivat* (pluriel : *des vivats*), d'origine latine, fut lui aussi une interjection, abandonnée depuis un certain temps, au sens de « Bravo! » Aujourd'hui substantif, *vivat* est synonyme d'« acclamation », et se prononce comme *viva*.

Donc, *si viva!* (interjection) se termine en *-a*, comme *Villa*, *vivat* (nom masculin) se termine en *-at*, comme *soldat*.

La Ponctuation, art et finesse (Éole)

Guide pratique des jeux littéraires (Duculot)

Pièges du langage, volumes 1 et 2, avec Pierre-Valentin Berthier (Duculot)

La Pratique du style, avec P.-V. Berthier (Duculot)

Testez vos connaissances en orthographe, (Hatier, collection « Profil formation »)

Testez vos connaissances en vocabulaire (Hatier, collection « Profil formation »)

La Correspondance privée (Solar)

Le Français pratique, avec P.-V. Berthier (Solar)

Le Dictionnaire du français pratique, avec P.-V. Berthier (Solar)

Les Faux Amis, avec P.-V. Berthier (Hatier, collection « Profil formation »)

Le Français écorché, avec P.-V. Berthier (Belin, collection « Le français retrouvé »)

Ce français qu'on malmène, avec P.-V. Berthier (Belin, collection « Le français retrouvé »)

Un point c'est tout, la ponctuation efficace ! (Victoires Éditions)

Les Accords parfaits (Victoires Éditions)

Orthographe, trucs et astuces (Albin Michel, collection « Les Dicos d'or de Bernard Pivot »)

L'Orthographe, c'est logique ! (Albin Michel, collection « Les Dicos d'or de Bernard Pivot »)

Étonnantes étymologies (Albin Michel, collection « Les Dicos d'or de Bernard Pivot »)

La Majuscule, c'est capital ! (Albin Michel, collection « Les Dicos d'or de Bernard Pivot »)

Difficultés du français (Librio, collection « Memo »)

Le Nouveau Savoir écrire, avec André Jouette (Solar)

Devenez un champion en orthographe, collectif (Albin Michel)

Bien écrire et parler juste [partie dictionnaire de difficultés] (Sélection du Reader's Digest)

Toute l'orthographe, avec Bénédicte Gaillard (Albin Michel/ Magnard/« Les Dicos d'or de Bernard Pivot »)

Toute la grammaire [idem]

Toute la conjugaison [idem]

101 Jeux Culture générale, avec H. Gest (éditions Archipoche, L'Archipel)

101 Jeux Langue française [idem]

101 Jeux Logique [idem]

Ma Bretagne (éditions Jean Picollec)

De l'âne au coq [200 Jeux et QCM] (l'Archipel/Marabout)

Aïe, ail, aille! Ma langue est malade! (l'Archipel/Marabout)

Énigmes et curiosités de l'histoire de France (Albin Michel/Livre de Poche)

Du tac au tac – Piques ironiques, répliques cinglantes (Albin Michel)

101 Jeux Cinéma-télé, avec H. Gest (l'Archipel, collection « Archipoche »)

101 Jeux Histoire [idem]

101 Jeux France [idem]